Cendrillon   *Les deux sœurs*   *La marâtre*   *La marraine*   *Le prince*

Cendrillon

Adapté par Anne Royer • Illustré par Candy Bird

Éditions Lito

Il était une fois...

... une jeune fille qui était aussi belle que son cœur était bon. Sa mère étant morte, son père se remaria avec une femme qui avait déjà deux filles. Hélas, si leurs visages étaient jolis, leurs âmes étaient noires comme la suie. Aussitôt installées, elles s'en prirent à leur nouvelle sœur, l'obligèrent à travailler sans relâche, la firent coucher dans les cendres du foyer, lui interdisant même de dormir dans un lit.

Elles finirent par lui donner le nom de *Cendrillon*.

Un beau jour, le roi annonça qu'il organiserait bientôt deux bals afin que son fils puisse y choisir sa future épouse. Toutes les filles en âge de se marier étaient invitées.

Le soir du premier bal, Cendrillon voulut partir avec ses sœurs, mais celles-ci lui rirent au nez :

– Une souillon comme toi, à la cour d'un roi ! C'est impossible !

Alors que la jeune fille pleurait sur le seuil de sa maison, sa marraine – qui était une fée – apparut.

– Sèche tes larmes mon enfant ! Fais tout ce que je te dis et tu pourras, toi aussi, aller au bal danser ! Va dans le jardin et rapporte-moi la plus belle citrouille.

Bien qu'étonnée, Cendrillon obéit. D'un coup de baguette magique, la marraine changea l'énorme légume en un rutilant carrosse. Ensuite, de six souris, elle fit des chevaux et d'un rat bien gras, un laquais tout de rouge vêtu.

Pour finir, elle transforma les haillons de Cendrillon en une magnifique robe brodée d'or et d'argent, et ses sabots en deux adorables pantoufles de verre.

Alors que sa filleule s'apprêtait à partir, elle lui dit de bien faire attention : l'enchantement ne durerait que jusqu'à minuit sonné. Et qu'après, tout redeviendrait comme avant !

Un murmure d'admiration parcourut la foule des invités, alors que Cendrillon, intimidée, pénétrait dans la salle de bal. Qu'elle était belle ! Qui était donc cette merveilleuse inconnue ? Quand le prince vit Cendrillon, il en tomba amoureux et refusa de danser avec une autre jeune fille.

Au premier coup de minuit, celle que chacun prenait pour une princesse étrangère s'enfuit et eut juste le temps d'arriver chez elle. De ses beaux vêtements, il ne restait rien et le carrosse n'était plus qu'une simple citrouille posée à ses pieds.

Le lendemain soir, les méchantes sœurs se rendirent de nouveau au bal du roi. Vite, Cendrillon rejoignit sa marraine, qui renouvela ses prodiges, parant cette fois sa filleule d'une robe encore plus étincelante.

Au château, le prince courut vers elle et l'entraîna dans la danse. Cendrillon, éperdue de bonheur, était plus belle que jamais. Mais bientôt, le premier coup de minuit se fit entendre.

– Il faut que je parte, Altesse. Adieu…

La mort dans l'âme, elle dut encore une fois se sauver. Dans sa précipitation, elle perdit une de ses pantoufles de verre sur les marches du perron…

Quelques jours plus tard, un messager du roi se présenta chez Cendrillon et ses sœurs avec la minuscule pantoufle de verre. La jeune fille qui pourrait la chausser deviendrait l'épouse du prince.

Les deux méchantes sœurs firent ce qu'elles purent, mais aucune ne parvint à enfiler la si petite chaussure. Le messager, très embêté, leur dit que leur demeure était la dernière du royaume qu'il visitait… S'il ne retrouvait pas la belle jeune fille, le prince mourrait de chagrin ! Soudain, apercevant Cendrillon, qui lavait le sol, le messager du roi la fit venir. Tremblante, elle s'approcha et réussit, bien évidemment, à glisser son pied menu dans la délicate petite pantoufle de verre !

Ce fut elle que le messager emmena au château, sous le regard de ses sœurs hurlant de colère.

Le prince, d'abord surpris de se voir amener une jeune fille au visage couvert de cendres, reconnut vite celle qu'il aimait depuis le bal.

Dès le lendemain, les noces des deux amoureux furent célébrées. Cendrillon, qui était aussi bonne que belle, invita ses deux sœurs à vivre au château et les maria le jour même à deux grands seigneurs de la Cour !